Dans la même collection

- *La vie des enfants au temps de la Préhistoire*
- *La vie des enfants de l'ancienne Égypte*
- *Ramsès II, futur pharaon*
- *Les dieux et héros grecs*
- *La vie des enfants en Grèce ancienne*
- *La vie des enfants à l'époque de Pompéi*
- *La vie des enfants au temps des Gallo-Romains*
- *La vie des écoliers au Moyen Âge*
- *Apprentis et compagnons au Moyen Âge*
- *La vie des enfants au temps des Aztèques*
- *La vie des enfants au temps du Roi-Soleil*
- *La vie du futur roi Louis XIV*
- *La vie des enfants au siècle des Lumières*
- *La vie des enfants sous la Révolution française*
- *Le futur empereur Napoléon*
- *Champollion et le mystère des hiéroglyphes*
- *Les Indiens des plaines d'Amérique*
- *La vie des enfants travailleurs pendant la révolution industrielle*
- *La vie des écoliers au temps de Jules Ferry*
- *La Grande Guerre 1914-1918*
- *La Seconde Guerre mondiale (1939-1945)*
- *Les bâtisseurs de cathédrales*

L'auteur tient à remercier monsieur Daniel Royot, professeur émérite de littérature et civilisation américaines à La Sorbonne, pour ses précieux conseils lors de l'élaboration de cet ouvrage.

Connectez-vous sur :
www.lamartiniere.fr

Conception graphique : Isabelle Southgate
Mise en page : Frédérique Deviller
© 2004, Éditions De La Martinière SA (France)
2, rue Christine - 75006 Paris

Hélène Montardre

La vie des enfants

Les premiers colons
d'Amérique du Nord

Éditions du Sorbier

Sommaire

Introduction

Au début du XVIIᵉ siècle, l'Amérique est un continent encore peu exploré. Pourtant, il fait rêver les Européens car, en Europe, à cette époque, la vie est souvent difficile. Le travail de la terre ne suffit pas à nourrir tout le monde et les gens ont souvent faim. Et puis ils ne partagent pas toujours les idées de ceux qui les gouvernent et, dans ce cas, il n'existe qu'une solution : partir.

L'Amérique apparaît comme une terre de liberté où chacun peut aller faire fortune. Un certain nombre vont tenter l'expérience : traverser l'océan et venir s'installer sur une côte dont on connaît peu de chose sinon qu'elle est peuplée d'Indiens. Ceux qui partent sont des hommes seuls, pas des familles. Ils s'installent principalement en Virginie.

Mais faire fortune n'est pas si simple ! Travailler la terre demande beaucoup de temps et d'efforts. De plus, le climat, différent de celui de l'Europe, et la présence des Indiens rendent la vie très difficile.

En 1620, un nouveau groupe s'embarque à son tour. Ceux-là sont différents des premiers. D'abord, ils quittent l'Europe pour des raisons religieuses et espèrent pouvoir bâtir, en Amérique, le royaume de Dieu sur la terre ; ensuite, ils partent avec leur femme et leurs enfants et sont fermement décidés à ne jamais revenir. Ils croient se rendre eux aussi en Virginie, mais le bateau les conduit beaucoup plus au nord, dans une région où personne ne s'est encore installé. De plus, c'est l'hiver, un hiver très long et très froid.

Les premiers mois, les premières années vont être très difficiles et beaucoup d'entre eux mourront. Heureusement, les Indiens vont les aider et, au fil du temps, la petite colonie de Plymouth, comme ils l'ont appelée, va se développer. Les familles vont s'agrandir et les enfants apprendront à vivre dans ce nouveau pays. D'autres groupes vont venir s'installer sur la côte américaine, fonder de nouveaux villages, explorer cet immense continent qui deviendra, en 1776, les États-Unis d'Amérique.

▼ En septembre 1620, le *Mayflower* quitte les côtes européennes pour l'Amérique. À son bord, 102 colons bien décidés à s'installer sur cette terre nouvelle.

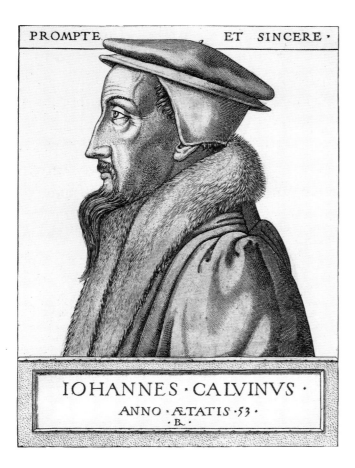

PROMPTE   ET SINCERE ·

IOHANNES · CALVINVS ·
ANNO · ÆTATIS · 53 ·
· B ·

◄ Jean Calvin est né en 1509.
Il fait partie des réformateurs,
qui « protestent » contre l'autorité
du pape. Il est le chef de file
des protestants en France.

Pourquoi partir ?

Au XVIᵉ siècle en Europe, de nombreux chrétiens ne sont plus d'accord avec l'Église catholique. C'est la naissance d'un nouveau courant religieux ; on l'appelle le protestantisme, car ceux auxquels il doit sa naissance, comme Jean Calvin en France ou Martin Luther en Allemagne, « protestent » contre la toute-puissance du pape, de l'Église catholique et contre le culte des saints qu'ils considèrent comme des idoles, la Bible n'en parlant pas. Ils veulent ce que l'on appelle la Réforme, c'est-à-dire suivre ce qui est écrit dans la Bible. À peu près à la même époque, en Angleterre, le roi Henri VIII s'élève lui aussi contre l'autorité de l'Église, mais pour d'autres raisons : il veut divorcer de son épouse, Catherine d'Aragon, et épouser Anne Boleyn. Seulement voilà, l'Église catholique, à laquelle il appartient, interdit formellement le divorce et le pape lui refuse l'annulation de son mariage. Henri VIII est furieux, si furieux qu'il décide de se passer de l'autorisation du pape. En 1534, il crée l'Église anglicane, une branche du protestantisme, dont il se proclame le chef suprême ; puis il répudie Catherine d'Aragon et épouse Anne Boleyn.

Henri VIII puis ses successeurs, notamment Élisabeth Ier et Jacques Ier, pourchassent tous ceux qui n'adhèrent pas à l'Église anglicane : les catholiques, parce qu'ils sont fidèles au pape et, parmi les protestants, ceux qui n'ont pas tout à fait les mêmes convictions que l'Église anglicane. Ceux qui ne sont pas contents n'ont qu'à s'en aller. C'est ce que fait un petit groupe d'Anglais de la région du Nottinghamshire en 1608, sous le règne de Jacques Ier. Ils quittent l'Angleterre pour se réfugier en Hollande, beaucoup plus tolérante en matière de religion. Ils forment une communauté et on les appelle les puritains. Ils respectent les commandements des Livres saints. Leur but : purifier la religion. Leur rêve : un endroit où ils pourront fonder le royaume de Dieu… sur la terre.

▼ Le navigateur anglais Henry Hudson a exploré les côtes de l'Amérique du Nord au début du XVIIe siècle. La baie d'Hudson, au Canada, porte son nom.

Ils se disent que cet endroit existe…
de l'autre côté de l'océan. Un continent vide, à l'exception de quelques
Indiens : l'Amérique. Des explorateurs
ont reconnu ses côtes et des Européens,
notamment des Français et des
Espagnols, s'y sont déjà installés.

En Angleterre, le roi Jacques Ier, monté
sur le trône en 1603, espère tirer des
richesses de ce nouveau continent. Il
accorde une charte à des marchands :
il leur donne l'autorisation d'armer des
bateaux pour transporter tous ceux qui
voudront partir et autorise ceux qui
partent à s'installer en des points précis
du nouveau continent, sur la côte déjà
explorée et reconnue par des marins
anglais. Ceux qui vivront là-bas devront
envoyer à l'Angleterre les richesses
qu'ils y trouveront. C'est le principe de
la colonie : fonder un territoire en
Amérique qui dépendra de la métropole,
l'Angleterre ; ceux qui tentent l'aventure s'appellent des colons.

Dès 1608, les premiers colons sont
envoyés en Virginie. Ceux-là ne partent
pas pour des raisons religieuses, mais
dans l'espoir de faire fortune rapidement. Le système est simple : ceux qui
peuvent payer leur voyage auront le
droit de travailler pour leur compte dès
leur arrivée. Pour les autres, les marchands paient le voyage. En échange,
ils bénéficieront pendant sept ans des
fruits de leur travail. Cela signifie que
les marchands récupéreront ce que les

▲ **Le départ des puritains a souvent été représenté.**
On voit ici une famille, avec un bébé, qui se prépare à embarquer.

colons enverront d'Amérique, le revendront à leur profit… et paieront une taxe à la couronne qui s'enrichira aussi.

Les puritains installés en Hollande ont entendu parler de ce système et ils décident de tenter l'aventure… pas pour faire fortune, mais pour trouver enfin la terre qu'ils recherchent. Ils passent un marché avec la compagnie, vendent leurs biens pour réunir l'argent nécessaire, emportent quelques affaires personnelles. Ils affrètent un navire qui les emmène d'abord en Angleterre. Là, ils embarquent sur le *Mayflower*, le bateau qui va les conduire vers le Nouveau Monde. Parmi eux, certains n'ont pas beaucoup de moyens. Alors, ils ont décidé de mettre leurs biens en commun, à l'exception de leurs affaires personnelles. La dette qu'ils ont à l'égard de la compagnie des marchands est donc commune et les engage tous pour une durée de sept ans.

Quand le *Mayflower* quitte les côtes d'Angleterre, le 6 septembre 1620, il emporte 102 passagers dont 32 enfants. Ils ne partent pas tous pour les mêmes raisons. Les puritains se disent qu'un monde neuf égale une société neuve et qu'ils auront toute liberté de créer une communauté qui répondra à leurs idéaux. Les autres espèrent que, là-bas, ils auront la chance de devenir

▲ Sur ce tableau, les hommes, les femmes et les enfants s'adressent à Dieu avant le départ. Ils lui demandent de les protéger durant le long voyage qu'ils vont entreprendre.

13

Le départ d'un bateau pour l'Amérique est toujours un événement. Les passagers savent qu'ils s'embarquent pour un long voyage qui peut être dangereux. Ils se demandent s'ils reverront un jour l'Europe.

propriétaires d'une ferme, ce qui est impossible dans une Angleterre surpeuplée où les pauvres sont nombreux. Leurs motivations ne sont pas les mêmes ; pourtant, ils devront s'entendre sur le bateau… et une fois sur place ! Ni les uns ni les autres ne sont des aventuriers ou des conquérants, et encore moins des chercheurs d'or. Ils partent avec leur femme et leurs enfants, ils ont vendu tout ce qu'ils possédaient et leur départ est définitif : ils ne veulent en aucun cas revenir.

Ils n'ont aucune idée de la vie qu'ils vont mener. Ceux qui viennent de Hollande sont pour la plupart des ouvriers de l'industrie de la laine et du tissu. Ils savent que, sur le nouveau continent, rien ne les attend : ni maisons ni usines. Ils devront tout construire de leurs mains. Ils ont prévu de vivre de la pêche, mais ils ne savent pas pêcher ; ils ont emporté des fusils… sauront-ils s'en servir ? Rien ne les a préparés à cette nouvelle vie. Quant aux enfants, ils devront s'adapter.

LE ROI
HENRI VIII

Henri VIII a 18 ans quand il monte sur le trône, en 1509. C'est un jeune homme instruit et intelligent, bon cavalier et habile à manier les armes. Il est bien accueilli par ses trois millions de sujets, car son père a su développer le commerce maritime et instaurer la paix.

La même année, il épouse Catherine d'Aragon dont il aura une fille, Marie.

Vingt-quatre ans plus tard, Henri VIII s'inquiète de sa succession. Marie est restée fille unique et il pense que son pays ne peut pas être dirigé par une femme. Et puis, il est follement amoureux d'une autre : Anne Boleyn.

En divorçant, Henri VIII se fâche avec le pape et se proclame chef de l'Église anglicane, qui devient l'une des branches du protestantisme... ce qui n'empêche pas le roi de poursuivre les protestants qui appartiennent à une autre branche. Le protestantisme ne reconnaît que l'autorité de la Bible et déclare que tout croyant, homme ou femme, marié ou non, peut diriger le culte. Il rejette ainsi l'autorité du pape et toute la hiérarchie de l'Église catholique.

Pour Henri VIII, se déclarer chef de l'Église a un autre avantage : il peut confisquer les biens des monastères et du clergé catholique, soit un tiers des terres du pays !

Henri VIII va régner trente-huit ans et il aura six femmes ! Les réformes qu'il entreprendra en politique et dans la vie économique seront très importantes pour l'Angleterre.

▼ *Henri VIII est le fils de Henri VII. Il naît en 1491 à Greenwich et il fait partie de la dynastie des Tudor qui donnera cinq souverains à l'Angleterre.*

15

▼ **Le Mayflower Compact porte les signatures des pèlerins qui ont traversé l'Atlantique. On reconnaît le nom de William Bradford ou encore celui de Miles Standish.**

Le voyage

► **Les premiers explorateurs qui ont reconnu les côtes d'Amérique ont dressé une carte de la Virginie. On voit ici la baie de Chesapeake, qui s'enfonce loin à l'intérieur des terres.**

Sur le *Mayflower*, les 102 passagers ont dû s'organiser. Le bateau n'est pas très grand, mais il a l'air solide. Une vingtaine de marins a été engagée pour le manœuvrer sous la direction du capitaine Jones. Les passagers sont répartis dans les entreponts. Chacun installe sa couchette où il peut, et il n'y a pas beaucoup de place. Quelques familles plus aisées occupent les minuscules cabines qui ont été aménagées à l'arrière. Le bateau transporte aussi la nourriture et l'eau pour plusieurs semaines. Les vivres sont stockés dans des cuves, des tonneaux et des sacs, eux-mêmes solidement arrimés dans les soutes du *Mayflower*. À cela s'ajoute le matériel que les colons ont pu emporter, comme la barque en pièces détachées qui, une fois remontée, leur servira à explorer les côtes.

Quand le *Mayflower* hisse les voiles, le temps est favorable. Pourtant, tous les passagers sont saisis de frayeur. Le bateau craque de partout et s'incline dangereusement vers la surface de l'eau ; le vent siffle dans les cordages et gémit dans la toile ; la mer vient battre

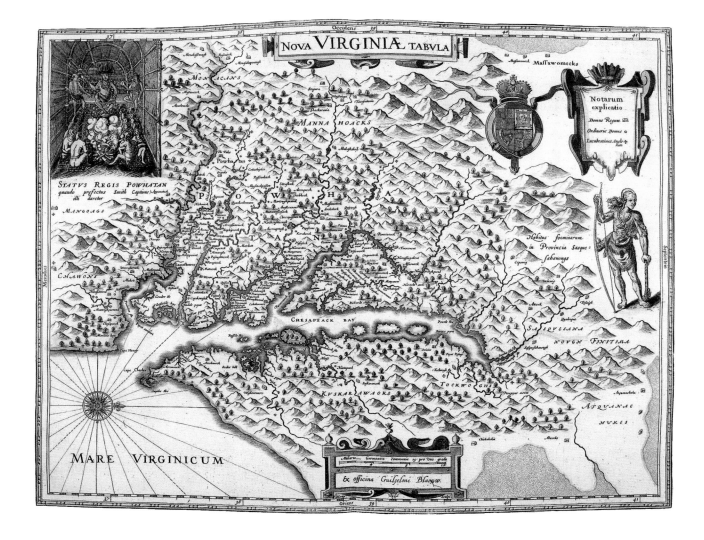

la coque en grandes gifles irrégulières ; les tonneaux, pourtant bien fixés, grincent sans arrêt… Les passagers ont beau se dire qu'il n'y a aucun danger, ils ont du mal à croire qu'un si petit bateau pourra les emmener de l'autre côté de l'océan.

Bientôt, le vent devient de plus en plus froid. Les passagers restent dans les entreponts, emmitouflés dans des couvertures, et ne sortent sur le pont que pour s'aérer. Pourtant, on leur a dit qu'en Virginie, le territoire où ils doivent débarquer, le temps est chaud et doux.

Un jour, une violente tempête éclate. Le *Mayflower* est secoué, l'eau balaie le pont, se déverse dans les entreponts ; le bateau se couche, les mâts craquent… Quand la tempête s'achève, le navire est très endommagé. Faut-il faire demi-tour ? Pour les passagers, c'est impossible ; ils ont vendu tout ce qu'ils possédaient et seule la misère les attend en Angleterre. Heureusement, ils ont emporté du matériel qui leur permet de réparer tant bien que mal, et le bateau reprend sa route. Mais tous se demandent s'il pourra les conduire à bon port.

La température est glaciale et des nappes de brouillard flottent sur l'océan. Où sont la douceur et le soleil promis ? Un jour enfin, après plus de huit semaines de voyage, le cri attendu résonne : « Terre ! » Les colons se regardent, se tournent vers le capitaine. Celui-ci leur confirme ce qu'ils pensent : ils sont bien trop au nord ! La Virginie est loin, beaucoup plus au sud, à des jours de mer ! Ils envisagent un moment de la rejoindre, mais des vents contraires les en empêchent. Et puis la côte est là, si proche, et tout le monde en a assez de la vie sur le bateau. Cette terre est aussi l'Amérique et rien ne leur interdit d'y rester.

Rien, excepté le fait que ce n'est pas là qu'ils ont reçu l'autorisation de s'installer puisque le roi a délimité des zones précises pour l'établissement des colonies. Ils sont donc sur une terre qui n'est soumise à aucune loi. Ils décident alors de rédiger en commun un accord politique qui définira leurs droits et servira de base à leur système de gouvernement. Ce texte se nomme le Mayflower Compact et il est signé le 11 novembre 1620. Il énonce notamment que les colons sont des sujets loyaux du roi d'Angleterre, c'est-à-dire qu'ils reconnaissent son autorité, qu'ils constituent une assemblée civile et politique et qu'ils se donnent le droit d'édicter des lois égalitaires pour le bien de tous. Un gouverneur est élu ; il se nomme John Carver.

18

CONSTANCE,
UNE JEUNE FILLE SUR LE *MAYFLOWER*

19

▲ *De nombreux tableaux représentent le voyage du* Mayflower. *On imagine qu'après les tempêtes, les passagers se réunissaient pour remercier Dieu.*

Constance a 14 ans quand elle embarque sur le *Mayflower* avec sa famille. À Londres, depuis les fenêtres de sa maison, elle observait l'animation des rues et aimait aller marchander du tissu ou des rubans. Sa famille et elle ne font pas partie du groupe des puritains. Son père a décidé de partir pour tenter sa chance dans le Nouveau Monde. Alors Constance a dû abandonner la plupart des meubles et des objets qui ont entouré son enfance. Il y a si peu de place sur un bateau !

◄ *Quand on n'a jamais navigué, comme c'est le cas pour Constance, le bateau semble bien petit et fragile quand il est ballotté sur les vagues au milieu de l'océan !*

20

Au début, elle ne croyait pas à ce départ. Et puis un jour, toute la famille a rejoint une autre ville et s'est installée sur un navire ancré dans le port. Le vent s'est levé et a gonflé les voiles, le bateau a bougé, la côte s'est éloignée. Constance est restée longtemps, le regard brouillé de larmes fixé sur la mince ligne brune au bord de l'horizon, à se répéter les paroles de son père : « Nous ne reviendrons jamais. À présent, notre vie, VOTRE vie, est de l'autre côté. »

Après dix semaines de traversée, elle a bien du mal à supporter la vie sur le bateau. Les passagers sont les uns sur les autres et il est difficile de s'isoler. Dès que le bateau a gagné la haute mer, tout le monde a été malade ; elle aussi, qui déteste vomir ! Le pire, c'est l'odeur qui règne dans les entreponts, même si les femmes passent leur temps à nettoyer avec de l'eau de mer. Les quelques robes qu'elle a emportées sont dans un triste état : pleines de taches et d'accrocs faits en descendant l'échelle qui mène aux entreponts. Quant à sa toilette... Sur un bateau, il faut économiser l'eau douce ; alors, pas question de l'utiliser pour se laver !

Constance s'ennuie. La mer, toujours la mer... et la peur. Elle aide les femmes à surveiller les enfants et à nettoyer. Elle attend les repas. Et quels repas ! La nourriture est rationnée. Comme les colons n'avaient pas beaucoup d'argent, ils n'ont pas pu acheter tout ce qu'ils voulaient. Et à présent tout le monde a peur que les vivres s'épuisent avant que l'Amérique soit atteinte. Constance est horrifiée quand elle y songe : que se passe-t-il sur un navire qui transporte plus de 100 personnes quand il n'y a plus rien à manger ? En attendant, elle grignote lentement sa part de biscuit pour la faire durer le plus longtemps possible et se force à avaler le poisson séché... qu'elle n'aime pas.

Quand le temps le permet, Constance monte sur le pont et s'installe à l'abri dans un petit coin. Elle se remémore tout ce qu'elle sait sur le nouveau pays, ce que son père lui a raconté et ce que d'autres murmurent avec des frissons dans la voix. On dit que c'est un merveilleux jardin où il n'y a qu'à se baisser pour cueillir des raisins et toutes sortes d'autres fruits. On dit aussi que des peuples étranges y vivent, si étranges qu'ils se promènent tout nus ! Constance rougit à cette idée et resserre instinctivement son châle autour de ses épaules. Ces mêmes peuples ont mauvaise réputation : on les accuse de faire rôtir leurs ennemis et de les déguster ! Est-ce cela qui les attend tous ?

Les discours de son père sont plus réalistes. Il leur a expliqué que là-bas il faudrait apprendre à pêcher et à sécher le poisson ; à poser des pièges pour les animaux sauvages et à tanner les peaux ; à couper le bois et à le tailler en planches... toutes sortes d'activités dont Constance n'a jamais entendu parler et qui ne la tentent pas vraiment.

▼ *En Europe, de nombreux récits circulaient sur les Amériques. Certains étaient vrais, d'autres inventés. Alors, les Européens imaginaient que ce continent était peuplé d'une foule d'êtres étranges.*

THE LANDING OF THE PILGRIMS =1620   MABELLE I HOLME

L'installation

La côte que le *Mayflower* vient d'atteindre est une langue de terre qui se nomme Cape Cod, le « cap de la morue ». Ce sont les navigateurs qui ont exploré cette côte qui l'ont nommée ainsi. Les hommes décident de mettre la chaloupe à la mer pour aller explorer ce territoire inconnu. À terre, ils découvrent des sources d'eau et s'aperçoivent que l'endroit n'est pas tout à fait désert. Des ombres fuient dans les bois : les Indiens ! Ils doivent se rendre à l'évidence : cette côte située plus au nord que la Virginie abrite aussi des tribus indiennes. Sont-ils nombreux ? Comment savoir s'ils sont amis ou ennemis ? Ils les suivent prudemment et découvrent d'anciens champs cultivés et un endroit où le sable a été remué. En creusant à leur tour, ils découvrent des paniers qui contiennent du maïs, des haricots de toutes les couleurs comme ils n'en ont jamais vu et d'autres graines qu'ils ne connaissent pas… enterrés pour assurer leur conservation. Ce sont autant d'aliments qui changeront de l'ordinaire du bateau.

Pendant plusieurs jours, les hommes explorent la côte à la recherche de l'endroit idéal pour s'installer. Il doit se situer sur une hauteur pour pouvoir être facilement défendu, mais il ne doit pas être trop abrupt, sinon il sera impossible de construire des maisons. Il faut qu'il y ait des sources d'eau, et que ce soit près de la mer, avec un coin abrité pour aménager le port qui accueillera les bateaux à venir.

Le temps passe ; les femmes et les enfants restent sur le *Mayflower* pendant que les hommes continuent d'explorer la côte. Les premières chutes de neige commencent à tomber et les provisions apportées d'Angleterre diminuent. La vie sur le bateau est de plus en plus difficile. Les enfants courent partout et il faut les surveiller sans cesse pour éviter qu'ils ne passent par-dessus bord pendant leurs jeux ou pour les empêcher de toucher aux armes à feu et aux réserves de poudre. Un jour enfin, les hommes reviennent et déclarent qu'ils ont trouvé le site idéal. Ils décident alors de hisser les voiles et, le 16 décembre, le *Mayflower* jette l'ancre dans une baie. Les colons donnent à l'endroit le nom de Plymouth.

Les hommes se mettent tout de suite au travail. Ils abattent des arbres pour construire un bâtiment commun qui abritera tous les colons, car cela prendrait trop de temps de bâtir une maison

▼ Sur la terre où les colons ont débarqué, c'est déjà l'hiver. Ils construisent rapidement des abris pour se protéger, et allument des feux pour se réchauffer et préparer les repas. Petit à petit, ils déchargent le bateau.

pour chacun. En attendant, c'est toujours le *Mayflower* qui sert de maison. Il était convenu avec les marchands que le bateau servirait de refuge aux colons tant qu'ils n'auraient pas construit de quoi tous les abriter ni trouvé de quoi subvenir à leurs besoins. Il faudra des mois pour que cela se réalise.

Les hommes quittent le bateau le matin et y reviennent le soir, épuisés. Les femmes s'occupent de la nourriture, du linge et des enfants.

En janvier, les premiers cas d'une maladie qui ressemble au scorbut se déclarent. Les semaines en mer, le manque de nourriture et de certains produits, la fatigue, le climat difficile… toutes les conditions sont réunies. Une épidémie s'abat sur la colonie.

Les malades sont installés dans la maison commune qui, après un mois de travaux acharnés, est à peine terminée. Les femmes en prennent soin. D'autres maisons sont en construction, mais plus il y a de malades moins il y a d'ouvriers pour poursuivre le travail. Le chantier tourne au ralenti. Même les marins du *Mayflower* sont atteints.

Pendant tout ce temps, les Indiens rôdent autour des constructions, dérobant parfois des outils, et les colons craignent d'être attaqués. Alors, pour ne pas montrer que leur nombre diminue, les colons enterrent leurs morts sans indiquer leur nom. Ainsi, nul ne peut savoir combien de personnes sont mortes. À la fin de l'hiver, la moitié des colons a disparu.

24

▶ À l'arrivée des colons en Amérique, les Indiens ne se montrent pas. Plus tard pourtant, ils viendront en aide aux Européens. Certaines tribus iront même jusqu'à recueillir des voyageurs isolés.

NAISSANCE
DE PEREGRINE

▶ *Parmi les objets emportés d'Angleterre,*
la maman de Peregrine a pris soin de ne pas
oublier le berceau pour le bébé attendu.

Peregrine est né en décembre 1620 sur le *Mayflower*. Le bateau était ancré au large du Cape Cod et les hommes à la recherche de l'endroit où s'installerait la colonie quand sa mère, Susanna White, a ressenti les premières douleurs. Dans l'entrepont, on s'est vite organisé. Les jeunes filles ont emmené tous les enfants sur les ponts et les ont fait jouer pour les occuper. Les femmes se sont activées autour de la future maman. Il a fallu dégager un endroit aussi propre que possible, trouver des linges encore propres après tant de semaines en mer pour envelopper le nouveau-né, faire bouillir de l'eau, réconforter la jeune maman... et espérer que tout se passerait bien, car les colons ne peuvent compter que sur eux-mêmes.

Le premier-né de la colonie est un garçon. Sa maman l'a prénommé Peregrine, ce qui signifie « Pèlerin », car c'est bien ainsi que les colons venus de Hollande se considèrent : comme des pèlerins qui se rendent vers un lieu saint. L'Amérique, cette terre

toute neuve, sera ce lieu saint. La maman de Peregrine espère qu'elle aura du lait pour nourrir son enfant, car il n'y en a pas sur le *Mayflower* et le petit Peregrine ne peut compter que sur elle pour ne pas mourir de faim ! Heureusement, c'est un gros bébé qui a l'air en bonne santé et qui crie déjà très fort.

Rencontre avec les Indiens

Avec le retour du printemps, la maladie disparaît. Les colons reprennent la construction des maisons qui sont réservées aux familles. Les hommes seuls vivent dans la maison commune, mais tout le monde travaille ensemble. Ils commencent aussi à nettoyer la terre pour les futures cultures : il faut arracher les arbres et les arbustes, déterrer les souches, dégager le sol des pierres qui l'encombrent. À cela s'ajoute la question de la nourriture : tous les membres de la colonie sont dépendants de la chasse et de la pêche.

Pendant ce temps, la menace des Indiens qui rôdent autour du campement plane toujours. Or, un jour, un Indien s'approche à découvert et les aborde en leur parlant dans leur propre langue ! Il dit qu'il se nomme Samoset et qu'il vient d'une autre région. Il a appris leur langue au contact de marins anglais qui sont venus pêcher au large des côtes américaines.

Samoset leur communique une foule d'informations. De nombreuses tribus indiennes vivent sur ce territoire, plus au nord ou à l'intérieur des terres. Elles

◄ Quand un Indien s'aventure pour la première fois dans le village des colons, ceux-ci sont très étonnés et plutôt inquiets. Ils se rassurent quand ils constatent que non seulement l'homme est venu seul, mais qu'en plus il parle leur langue !

► Dans l'une des maisons qu'ils ont construites, les colons reçoivent le grand chef Massassoyt. C'est un moment important, car Indiens et colons décident de signer un accord pour vivre en paix.

appartiennent au groupe des Algonquins, mais chaque tribu a un nom, comme les Narragansetts, les Abenakis ou les Wampanoags. Chaque tribu possède un territoire défini à l'intérieur duquel les hommes chassent et pêchent. Chaque famille possède aussi une parcelle de terre à cultiver. Les Indiens pratiquent l'agriculture, mais ils se déplacent en fonction des saisons. L'hiver, les vallées abritées de l'intérieur des terres les accueillent ; l'été, ils retournent le long de la côte où la terre est plus fertile et où l'on peut pêcher. Ces tribus ne s'entendent pas toujours entre elles et se font parfois la guerre. Certaines sont hostiles aux colons, d'autres sont prêtes à les accueillir et à les aider.

Samoset parle aussi aux colons d'un autre Indien, Squanto, qui a eu une vie tout à fait extraordinaire. Plusieurs années auparavant, Squanto a été enlevé par des Anglais et il a passé trois années en Angleterre où il a appris la langue et le mode de vie britanniques. Il a parlé de son pays et des Indiens, ce qui a aidé les marins anglais à explorer les côtes de Nouvelle-Angleterre – c'est ainsi qu'ils ont nommé cette région en rappel de leur pays. De premières tentatives d'installation ont eu lieu, mais les hommes, mal préparés, n'ont pas survécu aux difficultés et au climat. Quelque temps après, Samoset revient avec plusieurs Indiens. Ils rapportent les outils qui ont été volés pendant l'hiver et

annoncent la venue de Massasoyt. C'est le grand sachem des Wampanoags, c'est-à-dire leur chef. Sa venue est très importante pour les colons, car il dirige plusieurs tribus. Squanto l'accompagnera : il servira d'interprète. Quand le sachem Massasoyt arrive avec ses guerriers, les colons sont très impressionnés. Mais ils ne veulent surtout pas le montrer ! Après des échanges de cadeaux, les deux peuples décident de signer un traité. Il y est stipulé que nul ne doit agresser ni blesser un membre de l'autre peuple. Ils ne doivent pas se voler les uns les autres et si l'un d'eux est attaqué, l'autre viendra à son secours.

Les colons sont très contents et rassurés par cet accord, car le puissant sachem Massasoyt fera connaître aux

▲ Pour la fête de Thanksgiving, hommes, femmes et enfants ont revêtu leurs plus beaux habits. Dans le lointain, on aperçoit les maisons déjà construites.

autres tribus l'accord conclu, protégeant ainsi la colonie de Plymouth.

Quand le mois de novembre arrive, les colons réalisent que cela fait un an qu'ils sont installés à Plymouth et ils sont plutôt satisfaits. Ils ont engrangé leurs premières récoltes et bâti plusieurs maisons. Ils organisent alors une grande fête pour remercier Dieu et ils invitent leurs alliés indiens à y participer. Cette fête se nomme Thanksgiving, l'action de grâce, et c'est aujourd'hui l'une des plus importantes aux États-Unis où elle est célébrée chaque année, le dernier jeudi de novembre.

HOBOMOK,

DE LA TRIBU DES WAMPANOAGS

Hobomok est l'un des guerriers qui a accompagné le grand sachem Massasoyt à la fête à laquelle les Indiens ont été conviés. Dans le grand pré où les habitants de Plymouth se sont installés pour l'occasion, tout le monde s'active. Les hommes apportent des tréteaux et les assemblent pour confectionner de grandes tables. Les femmes arrivent avec de grands plats chargés de nourriture : tartes au potiron, purée de courges, maïs, viandes et poissons divers... Hobomok les observe avec curiosité. Elles portent de longues robes qui recouvrent leur corps tout entier ; même leurs cheveux sont rassemblés sous de drôles de chapeaux noués sous le menton. Le corps des hommes aussi est couvert de vêtements et ils portent également un chapeau. Hobomok, lui, a le crâne rasé, à l'exception d'une bande de cheveux noirs tout hérissés sur le sommet du crâne. Il vit dans un wigwam, une cabane d'écorce de pin, et se déplace en canoë. Pour chasser, il utilise un arc et des flèches, alors que les colons disposent d'armes à feu.

Mais aujourd'hui n'est pas jour de chasse ; c'est une grande fête qui rassemble Indiens et colons.

► *De nombreuses tribus indiennes peuplaient l'Amérique. Leur culture et leur mode de vie étaient bien différents de ceux des colons venus d'Europe.*

29

Vivre à Plymouth

À Plymouth, personne n'a le temps de s'ennuyer. Dès l'arrivée du premier printemps, en 1621, les champs sont ensemencés de maïs, de courges, de pois. Squanto, l'Indien qui connaît bien les Anglais, vit à la colonie. Il enseigne une foule de choses aux colons : à quel moment on doit semer les graines pour éviter les gelées tardives ; quelles plantes semer ensemble pour économiser le travail et la place ; comment utiliser le poisson comme engrais pour que les plantes poussent mieux… Les colons ont découvert le « blé indien », ou maïs, et ils le préparent de mille façons différentes. C'est devenu la base de leur alimentation. Et heureusement, car les semences de blé et de froment apportées d'Angleterre ne germent pas sur la terre de Nouvelle-Angleterre. Soit parce qu'elles ont souffert de l'humidité pendant le voyage, soit parce que la terre ne leur convient pas.

Le sachem Massasoyt envoie à Plymouth deux autres Indiens pour aider les colons. Leurs conseils sont une aide inestimable. Ils savent tout sur les plantes de

Pour les colons, les Indiens sont une aide inestimable. Quand le gouverneur William Bradford décide d'aller rendre visite à de nouvelles tribus pour organiser des échanges de peaux de bêtes, c'est un Indien qui les guidera.

ce pays, comme les différentes variétés de haricots, les courges, le tabac, le sucre d'érable… la façon de les récolter et de les conserver. Ils connaissent parfaitement la région et Squanto est un guide et un interprète parfait auprès des autres tribus.

Les Indiens enseignent également aux colons à reconnaître les animaux sauvages – élans, castors, dindes, oies… – qui vivent dans la forêt et à mettre en pratique les bonnes techniques de chasse. Ils savent aussi pêcher les coquillages, les homards et les saumons. Ils apprennent aux colons comment utiliser les peaux des animaux et le bois pour se vêtir et fabriquer des traîneaux. Tous les efforts des hommes, des femmes et des enfants tendent vers un seul but : se nourrir, produire des réserves de nourriture et les conserver pour que personne ne manque de rien l'hiver suivant. Des entrepôts ont été bâtis pour stocker les vivres de la communauté. Les maisons, très simples, en rondins de bois, s'alignent le long d'une rue centrale en terre qui se transforme en bourbier dès qu'il pleut. Cependant, tout manque encore.

Par exemple, il n'y a pas de lait, puisque les colons n'ont emmené ni vaches, ni chèvres, ni brebis. Leurs vêtements sont usés et ceux des enfants trop petits. Or il n'y a pas de commerce où s'approvisionner en tissu ! Il faut sans cesse raccommoder, transformer et réajuster.

Et puis il y a la dette à rembourser. Au dire des marchands qui ont avancé l'argent, les richesses seraient nombreuses et les colons n'auraient qu'à se baisser pour ramasser toutes sortes de choses à expédier en Angleterre. Or les colons passent tout leur temps à survivre, tout simplement ! Ils savent pourtant ce qu'ils pourraient envoyer en métropole s'ils parvenaient à le réunir : des barils de poisson séché, des peaux de castor tannées, des fourrures… qui sont très recherchés en Europe.

▲ Un an après leur arrivée, les colons ont bâti plusieurs maisons en rondins. Les Indiens les conseillent pour la culture des champs et des jardins.

William Bradford, le nouveau gouverneur qui a succédé à John Carver à sa mort, en avril 1621, demande au sachem Massasoyt de l'aider à se procurer des fourrures auprès des Indiens. Massasoyt lui promet que, désormais, les 30 tribus qui sont sous son autorité traiteront avec les colons de Plymouth et leur apporteront peaux et fourrures qu'ils échangeront, contre des armes ou des perles en verre par exemple. Plus tard, le gouverneur conclura de nouveaux accords avec d'autres tribus. Mais il faudra du temps pour que les premières livraisons parviennent en Angleterre.

UNE JOURNÉE
DANS LA VIE DE JOHN ET SARAH

▶ *Sur cette terre nouvelle, les colons apprennent à tirer partie de toutes les ressources naturelles. La forêt offre ses baies et son gibier. C'est aussi là qu'on s'approvisionne en bois.*

33

John a 11 ans et Sarah, 13 ans. Leur famille a eu de la chance : aucun de ses membres n'a connu la maladie et tous ont survécu. À présent, au plein cœur de l'été, ils font tout pour aider leurs parents et les autres adultes.

Le petit déjeuner à peine avalé, John va dans la forêt avec un récipient. Il y a une foule de baies à récolter avec lesquelles sa mère confectionnera des desserts ou qu'elle mettra à sécher pour l'hiver. Au début, John ne savait pas quoi cueillir ; il vient de Londres et, à Londres, les fruits ne poussent pas dans la rue ! Heureusement, Squanto, l'Indien qui les conseille, lui a montré lesquelles étaient bonnes à manger. John n'a pas peur ; il aime être dans les bois et il guette les oiseaux et les animaux sauvages. Il ne s'attarde pas, car il sait que sa mère aura bientôt besoin de lui : il lui faut du bois pour alimenter le foyer... et pour constituer les réserves de l'hiver. C'est devenu une règle : chaque fois qu'il fend des bûches, il en met une partie de côté. Petit à petit, le tas augmente.

Après le bois, c'est le déjeuner : du maïs – cette fois-ci il est en purée, sans beurre, sans lait – et de la citrouille bouillie. Certains jours, John en a plus qu'assez. Maïs et citrouille à tous les repas, petit déjeuner compris, c'est agaçant à force, même cuisiné de mille façons différentes ! Heureusement, les chasseurs rapportent parfois du gibier, et lui-même s'entraîne à poser des pièges.

Sarah s'est levée en même temps que son frère. Son premier travail : balayer la maison. Elle en est découragée à l'avance. Ils vivent tous dans la même pièce... bien obligés : la maison n'en compte qu'une ! La cheminée, adossée au mur du fond, sert à chauffer et à

cuisiner. Les quelques objets qu'ils ont apportés d'Angleterre ou qu'ils ont confectionnés ici sont posés sur les étagères qui courent le long des murs. Le sol est couvert de grosses planches de bois ; la poussière et la terre rapportée de l'extérieur s'y accrochent. Les paillasses sur lesquelles ils dorment sont encore étalées sur le sol ; il lui faudra les empiler pour faire plus de place. Leur seule richesse : le coffre qui a fait le voyage avec eux et qui contient leurs vêtements et les couvertures. Après le ménage, la corvée d'eau ! Incroyable ce qu'il en faut : pour la cuisine, pour boire, pour le bébé, pour se laver... Plusieurs fois, elle accomplit le trajet entre la maison et la source avec deux seaux dont l'eau lui dégouline sur les pieds. Ensuite, direction le jardin. Sa mère y est déjà avec son petit frère mais, dès qu'il fera trop chaud, elle rentrera avec le bébé pour préparer à manger. Ce sera au tour de Sarah de désherber. Elle aime bien ce travail, et leur jardin, grâce aux graines de fleurs apportées d'Angleterre, est le plus beau de tous. Du maïs et des pois y poussent, et les plants de fraisiers sauvages que John a rapportés de la forêt démarrent.

Après le déjeuner, Sarah profite d'un moment de calme pour se laver les cheveux. Ce n'est pas une petite affaire ! Quand ils sont dénoués, ils lui tombent jusqu'à la taille. C'est un vrai plaisir de

◀ *Les colons accordent beaucoup d'importance à l'apprentissage de la lecture. Le soir, quand le travail est achevé, un moment y est consacré.*

34

les laisser sécher au soleil. Une fois la chaleur tombée, sa mère l'envoie sur la plage avec John à la recherche de clams, ces gros coquillages savoureux dont leur père raffole. Les autres enfants sont là aussi et ils jouent à courir après les vagues et à se poursuivre. Les enfants remontent ensemble vers la colonie. L'heure du dîner approche. À la veillée, une fois que tout est en ordre, leur père leur lit un passage de la Bible. Puis on tire les paillasses, on déplie les couvertures et chacun s'installe. Très vite, les ronflements de

▲ *Pour renouveler leurs vêtements, les colons ne peuvent compter que sur ce qu'ils ont emporté. Quand les enfants grandissent, il faut tailler dans les vêtements des plus grands pour les habiller.*

leur père envahissent toute la maison. Comme chaque soir, Sarah se dit que jamais elle ne parviendra à s'endormir. Elle se souvient de son enfance à Londres, de la longue traversée sur le *Mayflower*, et tout cela lui paraît de plus en plus lointain. Enfin, ses yeux finissent par se fermer.

35

▶ Tout le long de la côte américaine, de nouvelles colonies sont fondées. Les Hollandais s'installent sur l'île de Manhattan et créent New Amsterdam. Plus tard, la ville sera vendue aux Anglais et prendra le nom de New York.

Apprendre à vivre ensemble

Comment éduquer des enfants dans des conditions de vie aussi difficiles ? En les associant à leurs travaux, en leur enseignant à lire et à écrire grâce aux Livres saints emportés, en leur transmettant leurs croyances et la parole de Dieu. Ceux qui sont venus de Hollande, les puritains, se rassemblent régulièrement pour prier et écouter les préceptes de leur foi. Les autres sont libres de participer ou non. D'ailleurs,

quand le *Mayflower* repart, en avril 1621, aucun colon n'en profite pour abandonner et rentrer en Angleterre. Leur choix est vraiment définitif.

Le gouverneur, John Carver d'abord, William Bradford ensuite, demande simplement à ce que certaines règles soient respectées. On peut s'amuser… mais avec mesure. D'ailleurs, il y a tellement de travail que les journées sont bien remplies. Il faut aussi garder du

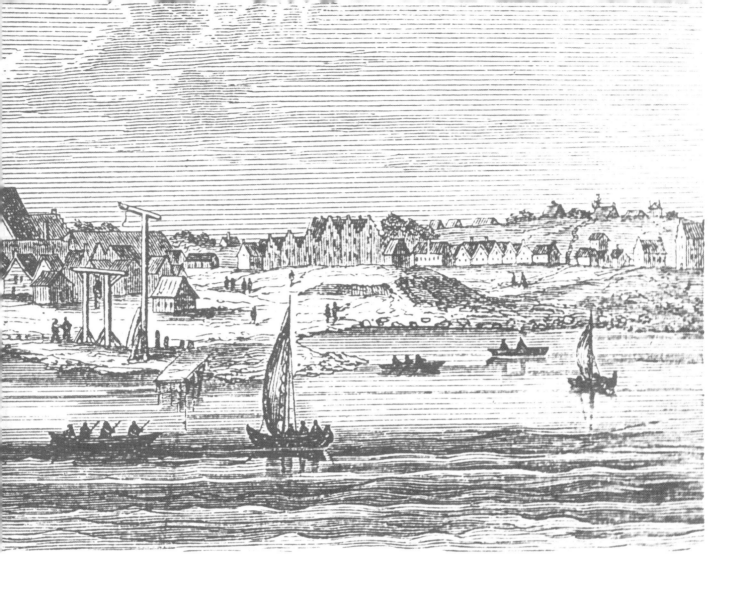

temps pour l'éducation des enfants, à laquelle les colons attachent une grande importance. Très tôt, l'enfant est considéré comme un petit homme ou une petite femme et on lui donne des responsabilités. On lui inculque tout ce qu'il doit savoir : la lecture, l'écriture, la connaissance des Écritures Saintes, les rudiments d'un futur métier. Sa famille est à l'écoute de sa vocation, car les puritains pensent que chacun en a une. Et il est important que l'enfant puisse la suivre : c'est de cette façon qu'il sera le plus utile à la communauté.

Les puritains et les autres colons n'ont pas les mêmes croyances, et ils n'ont pas non plus les mêmes fêtes religieuses. Ainsi, les puritains refusent de considérer le jour de Noël et le jour de Pâques comme des jours saints, car ils considèrent que ces fêtes sont d'origine païenne ou papiste. Ils travaillent donc ces jours-là comme n'importe quel jour de la semaine. En revanche, pour les enfants comme pour les adultes, le dimanche est consacré au culte et au recueillement. Et attention, pas question de s'endormir pendant le sermon sous peine de punition sévère !

◄ En Nouvelle
Angleterre,
tous les enfants,
filles et garçons,
doivent apprendre
à lire et à écrire.
Partout, des écoles
sont ouvertes.

À la fin de l'année 1621, un bateau arrive d'Angleterre. C'est *La Fortune*, qui amène à son bord de nouveaux colons, principalement des jeunes hommes attirés par l'aventure que représente le Nouveau Monde. Les habitants de Plymouth sont fous de joie de voir ces nouveaux arrivants et d'écouter les nouvelles qu'ils apportent d'Angleterre. Ils sont répartis dans la maison commune et parmi les familles, mais ce surnombre pose problème à la colonie. Les provisions sont insuffisantes pour nourrir pendant tout l'hiver l'ensemble de la population, et les nouveaux venus n'ont rien apporté. L'hiver sera difficile pour ceux de Plymouth, d'autant plus qu'une tribu indienne rivale de celle de Massasoyt menace de les attaquer. Les colons décident d'entourer leur village d'une palissade et de construire un fort au sommet de la colline. Plymouth devient un camp fortifié. Pendant plusieurs années encore, la colonie de Plymouth connaîtra des jours difficiles. Les hivers sont rudes et longs et les vivres souvent insuffisants. Les colons apprennent à tirer parti au mieux de ce qu'ils trouvent et de ce que les Indiens leur ont enseigné. Des mariages se font, des naissances surviennent. D'autres bateaux arrivent d'Europe amenant des parents, des enfants des premiers émigrés qui étaient restés en Europe et des nouveaux venus désireux de s'installer ici. De nouvelles maisons se construisent. Par les bateaux qui repartent, les colons envoient du poisson séché et des fourrures pour rembourser la dette de départ. L'un d'eux sera pris par les pirates et la cargaison perdue. D'autres arriveront à bon port. Et Plymouth poursuivra son développement.

Elisabeth,
une jeune fille à Plymouth

Elisabeth a 16 ans. Souvent, elle éprouve le besoin de s'isoler. Alors elle descend sur la plage et marche le long des vagues. Il n'y a pas longtemps, sa mère lui a glissé qu'à son âge on doit songer à un mari, que la place d'une femme est auprès d'un homme. Elisabeth sait bien que sa mère a raison.

Que ce soit en Angleterre ou ici, l'avenir d'une femme passe par un mari. Pas question pour elle d'avoir un métier ou de partir à l'aventure, ce n'est pas pour les filles. Mentalement, Elisabeth fait le tour des hommes non mariés de la colonie. Elle les connaît bien : ils se rencontrent lors des soirées d'automne quand on se réunit pour dépouiller les épis de maïs, ou alors quand la communauté entreprend de grands travaux comme édifier une nouvelle grange et que tout le monde participe. Aucun ne la séduit : les premiers arrivants sont trop vieux, ou trop jeunes... Il y a bien John, dont sa mère lui vante les mérites. Cependant, bien qu'il soit très gentil, il ne lui plaît pas beaucoup. Elisabeth rêve d'être amoureuse. Elle voudrait que son choix éclate au soleil comme une évidence.

▲ *À la colonie de Plymouth, jeunes gens et jeunes filles se côtoient tous les jours. Souvent, ils partagent les mêmes tâches comme la cueillette des épis de maïs.*

Qui pourra répondre à ce souhait ? Ils sont si peu nombreux sur ce minuscule bout de terre. À moins que d'autres bateaux n'arrivent...

New Hampshire
Massachusetts
New York
Rhode Island
Connecticut
Pennsylvanie
New Jersey
Delaware
Maryland
Virginie
Caroline du Nord
Caroline du Sud
Georgie

Vers les États-Unis

En Nouvelle-Angleterre, d'autres colonies comme celle de Plymouth vont être fondées par des émigrés venus d'Angleterre. Beaucoup quittent ce pays pour des raisons religieuses : ils craignent les persécutions du roi Charles Ier monté sur le trône en 1625, et qui, comme ses prédécesseurs, combat les opposants à l'Église anglicane. C'est la naissance de l'importante colonie de la baie du Massachusetts, qui favorise l'émigration puritaine. Elle est organisée par des gens aisés et instruits. Des congrégations entières, c'est-à-dire des associations de personnes ayant les mêmes convictions religieuses, arrivent et reconstituent en Nouvelle-Angleterre le village qu'elles ont laissé en Europe. Leur forme de gouvernement est fondée sur une idée simple : un contrat unit les hommes à Dieu et leur donne le droit de créer la société qu'ils souhaitent. Entre 1630 et 1640, les bateaux et les colons puritains affluent pour peupler la Nouvelle-Angleterre.

Plus au sud, le long des côtes américaines, d'autres colonies se sont créées, dès le début du XVIe siècle. Ceux

◄ À leur création en 1776, les États-Unis d'Amérique ne comptent que treize états, tous situés sur la côte Est. Le reste du continent (en hachuré sur la carte) est encore un immense territoire qui sera petit à petit divisé en nouveaux états.

▼ Dans la guerre qui les oppose aux Anglais, les Américains ont un avantage : ils connaissent bien le terrain et sont habitués à l'immensité de ce territoire. Le siège de Yorktown, en Virginie, signera la défaite des troupes anglaises.

▲ Georges Washington est né en Virginie en 1732. Favorable à l'indépendance vis-à-vis de l'Angleterre, il devient le premier président américain des États-Unis.

Suède, de France… Certains partent toujours pour des raisons religieuses, mais beaucoup sont attirés par ce qu'on raconte sur l'Amérique. En effet, les colons déjà installés envoient en Europe des lettres dans lesquelles ils vantent la qualité de la vie sur le nouveau continent, les richesses qu'on y trouve, la paix qui y règne, le bon air qu'on y respire… sans forcément parler de leurs difficultés.

Petit à petit, les diverses petites colonies fondées le long de la côte se regroupent pour former des colonies plus grandes. C'est ainsi qu'à la fin du XVIIᵉ siècle, il existe 13 grandes colonies qui constituent un empire américain qui appartient à l'Angleterre. La petite colonie de Plymouth, quant à elle, a rejoint en 1691 la grande colonie du Massachusetts.

En Nouvelle-Angleterre, les colons créent des écoles et, en 1636, ils fondent la première université sur le sol américain : Harvard. Ils développent l'artisanat, l'exploitation du bois, la construction navale, le commerce du bois et des fourrures.

Les Indiens commencent à trouver que ces nouveaux venus prennent beaucoup de place. Ils sont chassés des territoires qu'ils occupent par les colons qui se les approprient. Des guerres éclatent. Mais les colons sont mieux armés et les Indiens, qui ont tant aidé les premiers arrivants, seront exterminés.

Dans les colonies du Sud comme la Virginie ou la Géorgie, la culture du

qui les rejoignent ne le font pas pour des raisons religieuses, mais pour faire fortune.

Au cours des décennies suivantes, tout le long de la côte américaine, les établissements se multiplient et les colons continuent d'arriver. Ils viennent d'Angleterre, d'Écosse, d'Irlande, mais aussi d'Allemagne, de Hollande, de tabac, du maïs puis du coton se développe sur de grandes plantations. Pour cultiver ces champs, il faut une main-d'œuvre nombreuse et bon marché. On va la chercher dans les pays d'Afrique. Des milliers de Noirs – hommes, femmes, enfants – sont « importés » en Amérique où ils deviennent des esclaves.

Dans les années 1760, l'Angleterre et son roi, George III, prennent conscience de la richesse que représente un tel empire, et le roi décide de s'y intéresser d'un peu plus près que les rois précédents. Il met en place un certain nombre de mesures, dont le Stamp Act, un impôt à payer sur tous les documents commerciaux et légaux.

Les 13 colonies sont toutes sous la protection de l'Angleterre ; elles sont très différentes les unes des autres, elles n'ont pas la même forme de gouvernement, mais elles ont un point commun : elles ne sont pas du tout d'accord pour payer les nouveaux impôts ! Des représentants des colonies se réunissent à Philadelphie, en septembre 1774. Tous ensemble, ils décident que l'Angleterre n'a pas le droit de les soumettre à de tels impôts. C'est au tour de l'Angleterre de ne pas être d'accord ! Le roi envoie des troupes de soldats en Amérique. Sur place, les Américains constituent des milices pour se défendre. La guerre

d'Indépendance éclate en 1775. Le 4 juillet 1776, aujourd'hui jour de fête nationale des États-Unis, les 13 colonies adoptent la Déclaration d'indépendance rédigée par Thomas Jefferson.

Il faudra plusieurs années de guerre pour que cette indépendance soit reconnue par l'Angleterre et par l'ensemble des pays européens, en 1783.

George Washington devient le premier président des États-Unis d'Amérique, qui comptent 13 états : le Massachusetts, le New Hampshire, le Connecticut, les États de New York et de Rhode

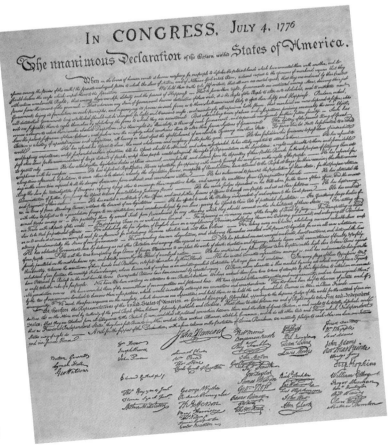

▲ Le 4 juillet 1776, les représentants des treize colonies se réunissent en congrès et signent leur indépendance.

Island, le New Jersey, la Pennsylvanie, le Delaware, le Maryland, la Virginie, la Caroline du Nord, la Caroline du Sud et la Géorgie.

Aujourd'hui, les États-Unis comptent 50 états et ce sont 285 millions d'habitants qui célèbrent le jour de Thanksgiving en souvenir du festin organisé par les colons du *Mayflower* pour fêter le premier anniversaire de leur arrivée en Amérique ; car ce petit groupe d'hommes, de femmes et d'enfants reste pour un grand nombre d'Américains le symbole de leurs origines.

▼ Un peu partout sur la côte américaine, les colons signent des traités de paix avec les Indiens. Ici, il s'agit du traité de Penn, du nom de William Penn, fondateur de la Pennsylvanie.

MILES
À HARVARD

▼ *L'université d'Harvard est la plus ancienne université américaine. Des écrivains, des hommes d'État y ont fait leurs études.*

En 1666, Miles a 16 ans. Il est né et a grandi dans la ville de Dorchester, colonie du Massachusetts. Il a toujours aimé étudier. Il a appris à lire tout petit dans une *dame-school* ; ce n'est pas vraiment une école, mais une maison où la mère de famille accueille les petits dans sa cuisine pour leur enseigner l'alphabet.

Puis Miles est allé à l'école secondaire, appelée aussi école de latin, car on y apprend, entre autres, à lire et écrire le latin et le grec. Filles et garçons fréquentent la *dame-school*, car les parents trouvent important que tous soient capables de lire les textes religieux. À l'école secondaire, il n'y a que des garçons, car les parents considèrent que les filles n'ont pas besoin de recevoir une instruction supplémentaire.

Pendant les longs hivers, les élèves se serraient autour du feu pour écouter le maître et écrire ce qu'il dictait. Parfois, la température descendait si bas que l'encre gelait dans les encriers ! À l'université d'Harvard, ils seront une cinquantaine. Pendant quatre ans, Miles apprendra la philosophie, l'arithmétique, le grec, l'hébreu... Il sait que la vie y est difficile : il n'y a aucun confort et la nourriture y est insuffisante. Mais il est fier de faire partie de ceux qui sont admis dans la seule université du continent américain.

CRÉDITS PHOTOGRAPHIQUES

Couverture, *Débarquement des Pèlerins à Plymouth*, collection privée, ph © Bridgeman Giraudon ; p. 9, *Le Voyage du Mayflower*, ph © AKG Paris ; p. 10, *Portrait de Johann Calvin*, ph © AKG Paris ; p. 11, *Arrivée de Hudson au Nouveau Monde*, ph © AKG Paris ; p. 12, *Les Pèlerins prennent la mer sur le Mayflower*, collection privée, ph © Bridgeman Giraudon ; p. 3, *Embarquement des Pères Pèlerins*, ph © Getty Images ; p. 14, *Les adieux du Mayflower*, ph © Getty Images ; p. 15, *Henri VIII*, Kunsthandel, Essen, ph © Sotheby's / akg-images ; p. 16, *Signatures des Pèlerins*, ph © Getty Images ; p. 17, *Le Théâtre du monde ou nouvel atlas mis en lumière par Jean Blaeu*, collection Mx / Kharbine-Tapabor ; p. 18, *L'accord du Mayflower*, ph © Getty Images ; p. 19, *L'Embarquement des Pèlerins*, Brooklyn Museum of Art, New-York, USA ph © Bridgeman Giraudon ; p. 20, *Le Mayflower*, ph © Getty Images ; p. 21, *L'Amérique vue par Théodore*, collection GROB / Kharbine-Tapabor ; p. 22, *Le Débarquement des Pèlerins*, Jamestown Educational Trust, VA, ph © Bridgeman Giraudon ; p. 23, *Le Débarquement des Pèlerins*, ph © Getty Images ; p. 24, *Abrités par les Narragansetts*, collection privée, ph © Bridgeman Giraudon ; p. 25, dessin © Jean Trolley ; p. 26, *Passagers du Mayflower*, ph © Getty images ; p. 27, *Accords entre Carver et Massasoit*, collection Kharbine-Tapabor ; p. 28, *Le premier Thanksgiving*, ph © AKG Paris ; p. 30-31, *La Marche de Miles Standish*, Library of Congress, Washington D.C., ph © Bridgeman Giraudon ; p. 32, *Canonicus accueillant les Anglais*, collection Kharbine-Tapabor ; p. 36-37, *Vue de New-York*, ph © AKG Paris ; p. 38, *Une École primitive de la Nouvelle Angleterre*, collection Kharbine-Tapabor ; p. 39, dessin © Jean Trolley ; p. 40, dessin © Jean Trolley ; p. 41, *Siège de York Town*, ph © RMN ; p. 42, *George Washington*, Musée National de la Coopération franco-américaine, ph © akg-images ; p. 43, *Proclamation de l'Indépendance*, Archives nationales, Washington ph © AKG Paris ; p. 44, *Traité de Penn avec les Indiens*, collection Kharbine Thapabor ; p. 45, *Université de Harvard*, ph ©AKG photo.

Connectez-vous sur :
www.lamartiniere.fr

Conception graphique : Isabelle Southgate
© 2004, Éditions de La Martinière SA (Paris, France)
Tous droits réservés
Achevé d'imprimer sur les presses de Proost en Belgique
Conforme à la loi n°49 956 du 16 juillet 1949 sur les publications destinées à la jeunesse
Dépôt légal : février 2004
ISBN : 2-7320-3786-9